CERDDI
W.J.Gruffydd
Elerydd

Golygydd:
D. Islwyn Edwards

Gwasg
Gwynedd

Argraffiad cyntaf: Rhagfyr 1990

© W. J. Gruffydd 1990

ISBN 0 86074 063 3

Cyhoeddwyd y gyfrol hon gyda chymorth Cyngor Celfyddydau Cymru.

Argraffwyd gan Wasg Gwynedd, Caernarfon.

Cynnwys

Diolchiadau

Er gwell neu er gwaeth bûm yn esgeulus iawn o'm cerddi ar hyd y blynyddoedd ond trwy raslonrwydd y beirniaid swyddogol diogelwyd deunaw ohonynt yng nghyfrolau *Cyfansoddiadau a Beirniadaethau* yr Eisteddfod Genedlaethol. 'Rwy'n ddiolchgar iawn i Lys yr Eisteddfod am ganiatáu imi gynnwys rhai ohonynt yn y casgliad hwn. Felly hefyd Gwasg Gomer, am ganiatâd parod i gynnwys cerddi a ymddangosodd yng nghyfres y blynyddoedd, *Cerddi '69*, ac ati.

Er ei brysurdeb, ac y mae yn weithiwr diwyd, mynnodd Mr D. Islwyn Edwards ddethol nifer o'r cerddi, eu paratoi yn ffyddiog ar gyfer eu cyhoeddi a chael ystyriaeth dosturiol gan y Prifardd Gerallt Lloyd Owen yng Ngwasg Gwynedd. Diolch i Islwyn am ei gymwynas ac i Gerallt am ei hynawsedd.

W. J. GRUFFYDD

(Elerydd)

Rhagymadrodd

Gan fod W.J. Gruffydd yn enw hysbys fel bardd, llenor, pregethwr a chyn-archdderwydd, 'does dim angen ei gyflwyno fel y cyfryw i ddarllenwyr llenyddiaeth Gymraeg. Digon yw dweud iddo fodloni ar fod yn fardd a llenor gwlad poblogaidd a roes fynegiant byw i'w gymdeithas werinol glòs yn Ffair Rhos. Bu ei filltir sgwâr yn fwnglawdd oes i W.J., eithr bu hefyd yn llyffethair iddo ar ryw agwedd, gan ei gaethiwo rhag dwyn ei awen i diroedd brasach a llai cynefin. Nid yw'n rhyfedd gan hynny, mai prif themâu ei ganu yw — crefydd, bro, angau a hiraeth; hen destunau oesol y canu telynegol Cymraeg. Fe lwyddodd ef, er hynny, i wisgo'r hen themâu hyn ag idiom fodern a ddaeth yn bur ffasiynol am gyfnod tua diwedd y pumdegau a dechrau'r chwedegau. Ond na ddibrisied neb ei ymgais at greu arddull newyddol ym myd y canu pryddestol yng Nghymru. Dagrau pethau yw i'r arddull heiffennog hon dyfu'n rhemp ar unwaith ymhlith cystadleuwyr y bryddest, gan wneuthur ffurfiau cyfansawdd megis: 'Llanfihangel-wedi-mynd-am-byth', 'plismonaidd gap', 'modrybeiddio', a 'cnawdheglu' yn addurniadau i'w hefelychu ar bob cyfle posibl.

Mae'n wir dweud, ond odid, i W.J. Gruffydd roddi heibio'r dull hwn o ymadroddi a chanolbwyntio fwyfwy ar uniongyrchedd tawel y dweud cynnil, yn arbennig felly yn ei gerddi anghystadleuol. Yr un yw byrdwn y canu o hyd mae'n wir, ond fe lwyddodd y bardd i aberthu ei gwirciau pryddestaidd cwicsotig am batrymau symlach a mwy uniongyrchol gan roddi pwyslais newydd ar fynegiant mwy diriaethol ac unplyg. Mae'r gerdd, 'Nos Sadwrn y Pasg' yn enghreifftio'r newid amheuthun hwn yn arddull y bardd:

> 'YOUR EASTER BINGO!
> EYES DOWN AT 7.30.',
> Ar dalcen festri Calfaria.
>
> Anghofiasom y gri galonrwygol:-
> 'Eloi eloi, lama sabachthani'.
> Y mae ein llygaid ar y ddaear.
>
> Ddoe
> am dri o'r gloch y prynhawn
> gwallgofodd yr haid pan faglwyd eu harwr.
> Chwibanodd whisl onest y reffari,
> a phrotestiodd y cefnogwyr yn erbyn y gic gosb.
> Gêm ffront yw bywyd . . .

Fe welir fod y mynegiant yn llai geiriog erbyn hyn a'r gystrawen yn fwy hyblyg ac esgyrniog. Mae gorfoledd a sicrwydd newydd yn y canu, fel petai'r bardd wedi darganfod ei lais hyderus ei hun. Y gwir yw gallodd W.J. Gruffydd yn ystod ei gyfnod diweddaraf fel bardd esgyn uwchlaw ei bryddestau eisteddfodol, a rhoddi inni gerddi y gallwn eu trysori, nid yn gymaint am iddynt ennill llawryfon yr Eisteddfod Genedlaethol, ond am eu bod yn dweud rhywbeth o bwys am hynt a hinsawdd bywyd yn y byd sydd ohoni heddiw yng Nghymru.

Fe ddeil yn y cerddi rai ysgogiadau hiraethlon sy'n ein hyrddio yn ôl i baradwys y gorffennol Edenaidd. Ond erbyn hyn y mae'r bardd fel petai wedi dyfod i delerau â'r dadrithiad ingol hwnnw a danseiliodd yr hen wareiddiad piwritanaidd Cymreig, ac yn llwyddo i droi holl helbul cymdeithasol a chrefyddol y cyfnod modern yn sail i ryw gyfrifoldeb a phositifiaeth newydd. Hwyrach yn wir mai'r olygwedd newydd hon sydd yn achub W.J. Gruffydd fel bardd, ac yn ei waredu rhag gwacter ystyr a nihilistiaeth esthetaidd y Foderniaeth Ewropeaidd. Mae'n wir dweud, er hynny, i'w besimistiaeth ramantaidd gynnar ei arwain at onestrwydd a chywirdeb creadigol pur ffrwythlon a roes inni ddwy bryddest sydd yn cyfleu'n gymwys ddigon y marweidd-dra parlysol a erydodd enaid hen gymdeithas Pen Cwm Bach.

Bu cystwyad amser yn greulon wrth gerddi eisteddfodol W.J. Gruffydd, ac erbyn hyn nid hawdd eu hamgyffred a'u prisio ond ar y telerau eu bod yn adlewyrchu tynged cymdeithas adfeiliedig wyneb yn wyneb â'i thranc. Daeth tro mawr ar fyd oddi ar cyhoeddi *Ffenestri a Cherddi Eraill* ym 1961, ac mae'r gyfrol hon o eiddo'r awdur yn pwysleisio bwysiced y newid hwnnw. Aeth llenyddiaeth Gymraeg hithau drwy broses o newid a thaflwyd o'r neilltu y sentimentau *fin-de-siècle* hynny a boenydiodd ein canu telynegol mor hir, ac i'w lle daeth ymagweddu prydyddol dipyn mwy cadarnhaol a deallus. Sychodd pydewau'r dagrau ac ymledodd i ddyffryn yr esgyrn sychion hoywder llenyddol na chafwyd mo'i gyffelyb ers cenedlaethau lawer. Wele'r dydd y daeth llenyddiaeth Gymraeg i'w chyflawn oed wedi cyfnod o fabinogi hir.

'Rwy'n hyderus ddigon mai i'r cyfnod diweddaraf yn hanes llenyddiaeth Gymraeg y perthyn y mwyafrif o gerddi'r casgliad hwn. Ffrwyth prentisiaeth faith yw *Ffenestri a Cherddi Eraill*: ffrwyth bardd a oedd wedi meddwi ar ddelweddau lliwgar ac ymadroddion cyfansawdd, cyplysnodaidd. Wedi cael gwared ar y dwymyn bryddestol eisteddfodol fe gafodd W.J. Gruffydd gyfle i urddasoli a charegu ei fyfyrdod a meithrin ei briod lais ei hun. Yn y casgliad hwn y mae'n cyrraedd ei uchafbwynt fel bardd, ac uchafbwynt gorfoleddus ydyw hefyd.

D. Islwyn Edwards

Nos Sadwrn Y Pasg

'YOUR EASTER BINGO!
EYES DOWN AT 7.30.',
ar dalcen festri Calfaria.

Anghofiasom y gri galonrwygol:-
'Eloï, Eloï, lama sabachthani'.
Y mae ein llygaid ar y ddaear.

Ddoe
am dri o'r gloch y prynhawn
gwallgofodd yr haid pan faglwyd eu harwr.
Chwibanodd whisl onest y reffari,
a phrotestiodd y cefnogwyr yn erbyn y gic gosb.
Gêm front yw bywyd.

Yfory, i eglwys y plwyf
daw'r addolwyr blynyddol
i fwrw eu rhoddion i'r drysorfa,
a thalu rhent am y bywyd tragwyddol.

Heno, cerddodd dyn ifanc
yn droednoeth dros briffordd y byd.
Yr oedd gofidiau'r canrifoedd yn Ei lygaid.
Cododd Ei law
pan aeth mini llwythog yn wyllt heibio.

Gwelais ôl yr hoelion.

James

(Y Parch James Thomas, B.A., Caerfyrddin)

Tramwyodd y strydoedd ar fyrgam hast
Rhag ofn i funud o'r dydd fynd yn wast.

Llysgennad ei Feistr, otomatig ei wên,
'Bore da', wrth bawb ar y bws a'r trên.

Canmol yr heulwen, gogoneddu'r glaw,
A'i optimistiaeth yn fwrlwm di-daw.

Maldodi hen wragedd, anwylo plant,
A chodi ei het i'r pagan a'r sant.

O ward i ward yn ysbytai'r dre,
Mewn bywyd ac angau, pwy fel efe?

Gwario'i holl fywyd ar drafferthion ei bobl,
'Da iawn' ydoedd popeth yn ei fuchedd nobl.

Ar y Cyntaf o Ebrill pan gyflawnwyd ei awr
Fe wnaeth yntau ffŵl o'r Gormeswr Mawr.

Ar drothwy'r Nefoedd ni frysiodd i mewn,
Rhaid oedd ysgwyd llaw â Phedr yn ewn.

Beth wnei di Jâms, â'th dragwyddol haf,
Heb neb mewn tlodi, heb neb yn glaf?

John

Ysgwyddau aflonydd, ac yn wên i gyd,
A het a ffon yn bugeilio'r stryd.

Saesneg bonheddig, Cymraeg gramadegol,
Gwario ansoddeiriau fel arian degol.

Glân a dilychwin ei ddillad parch,
A'i weddi yn ddagrau wrth dalcen arch.

Gosgeiddig mewn pulpud; cynghanedd a dawns;
A'r Awen wibiog yn cymryd ei siawns.

Gweld cymylau fel camelod glaswyn
A'r hen Faalam ris yn is na'i asyn.

Roedd 'swn yr hoelion yn synnu'r heuliau,'
A bys a bawd yn saethu'r meddyliau.

Judas yn Uffern wedi'r bradu anllad
Yn methu cael perffiwm yr ennaint o'i ddillad.

Bu Cymanfa Môn fel dydd Mawr y Farn
Pan doddwyd calonnau o feteloedd harn.

Y sêr a'r planedau megis cwrens llosg
Ac Arab yn ulw yn seler ei fosg.

★   ★   ★

Ochrgamodd heibio i'r Angau chwim;
Aeth i chwilio am Jiwbil, a Jimmy, a Jim.*

*Y Parchedig John Thomas, Blaenywaun — brawd i James.
Lluniodd W. J. Gruffydd gofiant iddynt, 'James a John:
Dau Frawd — Dau Broffwyd', (1976).
*Jiwbil — Y Parchedig Jiwbili Young;
  Jimmy — Y Parchedig J. M. Lewis, Treorci;
  Jim — Y Parchedig James Thomas.
Felly y cyfarchent ei gilydd.*

Y Ddawns

Celain a'i waed yn ceulo a welais
Dan heulwen Gorffennaf,
Anwar oedd cadr ar flinwellt, rhaib yn nhawelwch yr haf.

Ennyd, a'r marw'n dihoeni, y nwydwyllt
A neidiodd yn wrychblu.
Osgo, a thro ystlysgam oedd dawns yr ewinrudd du.

Cam, a chyhoeddi i'r cymoedd yn glir
Ei glarion pen tomen.
Brasgam, cyn rhuthro i brysgwydd ar wib ar ôl yr iâr wen.

Yr Hollt

O'r grofften bell, cei ganfod ar gomin gwair-cwta
  Hollt yn yr hwndrwd yn hyll yn yr haul,
Ond o graith yr iäen un bore daeth mwg tŷ unnos
  Lle mentrodd fy hendaid cyn bwrw'r draul.

Yn yr hafn a'r agen gwelais wahanglwyf yr eira
  Yn esgyrn y graig un Mawrth cario-dom,
A mathemategydd yr achau yn gwman ar lechwedd
  Yn bysgyfri'r corygau ar esgair lom.

Crafwyd y blewiach sidan o ystlys a morddwyd
  Pan oedd Medi cybyddlyd yn porthi'r sied wair,
Ond bu cynhaeaf eneidiau yn yr hollt a'r hirlwm
  A gorymdaith y cnawd ym mhasiant y Gair.

Portread O Dyddyn

Adeiladwyd yr hen dŷ
Ym mhen ôl y byd mewn agen ddrafftiog
Lle roedd cysgod rhag yr haul yn ymyl ffynnon o rew.

Rwy'n cofio am Caleb,
Iberiad a anghofiwyd gan wareiddiad cyntefig
Yn ffermio, â'i draed ar y pentan
Rhwng y cawodydd a ddeuai yn ysbeidiol ar hast.

Rhoddodd ganiatâd caredig
I wlith y nefoedd a dom ieir achlesu'r naw erw
A waddolwyd iddo yn ewyllys foel ei fam.

Caseg na wyddai neb ei hoedran
Yn byw ar frwyn a rhagluniaeth fawr y Nef;
Ond gallai dynnu chwarter llwyth o fawn
Adref o'r gors ond iddi gael ei hamser a'i gwynt.

Gast las Gymreig
Yn rhy hen i fwrw ei blew
Yn cysgu yn unllygeidiog o dan y pren bocs,
A'i chyfarthiad yn y niwl megis pesychiad baban.

Bob Nadolig deuai cerdyn unig
I dystiolaethu fod cefnder pell yn fyw.

Heddiw mae Doctor Haf
Yn pwytho'r clwyfau yn yr agen ddrafftiog;
A Chaleb, yr Iberiad olaf,
Yn gwichial ei chwerthin yn y cof.

Fel Y Byddont Oll Yn Un

O Dad Sancteiddiol, er na welwn wawr,
Na foed i'th eglwys ofni'r fenter fawr;
Rho ras i'th blant i weithio yn gytûn
Drwy'r hirnos, fel y byddont oll yn un.

Lle bynnag y bo dau neu dri yn cwrdd
Daw'r Mab i gyfranogi wrth y Bwrdd,
Bydd yno naws yr hen anfarwol rin
Wrth dorri'r bara ac wrth rannu'r gwin.

Y Mab a roddaist iddynt hwy yn frawd
A geidw'r plant o hyd ar lwybrau ffawd.
Fe fyddant oll yn un, er gwaetha'r byd,
Pan eilw'r Alwad ddwyfol hwy ynghyd.

O Dad Sancteiddiol, os yw'r nos yn faith,
A'r Groes yn drwm wrth fentro ar y daith,
Sancteiddia hwynt a'u cadw yn gytûn
Yn Iesu, fel y byddont oll yn un.

Duw Y Tymhorau

Y mae Duw yn neffro'r gwanwyn,
  Ef yw awdur popeth byw,
A chyhoedda miwsig adar
  Yn y coed, — mai da yw Duw.

    Cytgan:
    Mae Ei Ysbryd yn ymsymud
      Eto dros y cread mawr,
    Bendigedig fyddo'r Arglwydd,
    Haleliwia nef a llawr.

Dwed yr haf â'i fwyn diriondeb
  Am ogoniant mawr yr Iôr;
Mae hyfrydwch yn y mynydd,
  Mae cyfaredd yn y môr.

    Cytgan:

Gwelir Duw yn lliwiau'r hydref
  Pan aeddfedo'r cnwd a'r grawn;
Mae Ei roddion yn y berllan,
  Mae Ei wyrth mewn sgubor lawn.

    Cytgan:

Y mae Duw yng ngrym y gaeaf
  Pan fo'r storm dros bant a bryn
Ac fe welir Ei ryfeddod
  Pan fo'r llawr dan eira gwyn.

    Cytgan:

Y Daith Drwy'r Nos I'r Wawr

(Emyn buddugol Gŵyl Fawr Aberteifi, 1972)

O Iesu Mawr, mi fynnaf gerdded mwy
Hyd eitha'r daith,
Gan ddilyn ôl dy draed wrth dramwy drwy
Y niwloedd maith;
Bu rhywrai'n ddewr o'm blaen, teithiasant hwy
Er croes a chraith.
Rho imi lewyrch dy oleuni claer
Rhag syrthio ar y ffordd, O Fab y Saer.

Yn deithiwr blin fe gerddaist tithau gynt
Dros lwybrau'r llawr,
Gan ddringo'r mynydd ar dy ryfedd hynt
Rhwng gwyll a gwawr;
Ac yno, ganol nos, bu cwyn y gwynt
A'r weddi fawr.
Rho nerth dy ras i mi, O Fab y Dyn,
I blygu fel y plygaist ti dy hun.

Rhag imi droi'n wrthgiliwr, cadw fi
Drwy'r daith i'r Nef;
Os daw i minnau groes a Chalfari
Y storom gref,
Er gwaetha'r byd mi gaf dy gwmni di,
Mor fwyn dy lef.
Fe dry pob tristwch Amser yn fwynhad
Gan swyn dy dyner lais, O Fab y Tad.

Tu hwnt i'r nos mae dinas hardd ei gwedd
Fel haul ar fryn,
Yn ei llawenydd hi caf brofi hedd
Y golau gwyn;
Mi gerddaf ati mwy heb ofni'r bedd
Yn niwl y glyn.
Ffarwél, ofidiau'r byd, ymlaen mae'r wawr,
Rwy'n dod o gam i gam, O Iesu Mawr.

Tribannau'r Misoedd

Ionor

Ma'r Calan wedi paso
A'r dydd yn dechre stretsho,
Pan fydd hi'n fain ar Fanc Fron Goch
Bydd cawl cig moch i gino.

Whefror

Ma' rhew ar bylle'r Cefen
A'r sgwarnog wan yn llefen,
Os ffoi i'r tŷ wna'r ci a'r gath
Ma'n wa'th yn Esger Garthen.

Mowrth

'R wy' ofan yn 'y nghalon
Gweld Mowrth yn byta'r wisgon,
Yn wa'th na dim bydd cyrff yr ŵyn
Ar lwyn fel blode gwynion.

Ebrill

Mor neis yw gweld y Glame,
A'r geir yn dod i wye,
Os cewn ni ambell flewyn glas
Bydd Penwen mas y bore.

Mai

Mis adar bach yn caru,
Mis troi y da o'r boudy,
Mis hela tac, mis bwbach brein,
Mis towydd ffein heb garthu.

Mihefin

Ma' blode ar y ddeiar,
Fe ddaw y tatws cynnar,
Ac i Ffair Rhos am wâc o'r tra'th
Fe dda'th y bilidowcar.

Gorffennaf

Ma'r lloi a'r da ar gered
Yn dianc rhag y pryfed,
A Wil yn smoco baco shag
I'w gadw rhag y gwybed.

Awst

Cerbyde am y cynta,
Dieithred yn pysgota,
A finne'n mynd i Gilfach Rhew
I hela blew gwair cwta.

Medi

Ma' min ar fla'n yr awel
A'r glaw yn dal i ddiwel,
Ond os mai Shôn yw bos pen seld,
Cewn weld, Ha' Bach Mihangel.

Hydref

Ma'r fuwch bron bwrw'i chyde
Am fynd i bori'r adle,
Ni cheiff glofersen o'r Ca' Draw
Nes daw hi'n ddiwedd Hydre'.

Tachwedd

Ma'r defed lawr o'r Crynga'
A'r menyn yn y twba,
Ma' llond y pwrs o bishis tair —
Mi af i ffair Clangaea'.

Rhagfyr

Mor llwm yw Cefen Brosog
A'r gwynt dros Fanc Ca' Madog,
Bydd caib a rhaw y ceib'wr tal
Rhwng peder wal y 'Nachlog.

Dyddiau Dyn

Pan fyddo'r nerfau'n cwyno
  Am driciau slei fy ffawd,
Mae'r cof a fynn gadwyno
  Fel gele yn y cnawd.

Yr Angau sy'n pentyrru
  Ei wae gan newid gwedd,
Sy'n galw'r byw i dyrru
  I geulan rwth y bedd.

Ond er i gnoc pob galar
  Sobreiddio'r gweddill byw,
Unlliw â phridd y dalar
  Yw'r pridd o dan yr yw.

Ynghlwm wrth gelfi deulawr
  Mae'r hiraeth gwyllt ei boen,
A'r staen ar blât y dulawr
  Fel brychni ar y croen.

Os ydyw cri cynddaredd
  Y storm yn gwawdio'r hwlc,
Fe erys hen gyfaredd
  Yr Angau ar ei sgwlc.

Y Syllwr

Un doe ni wyddwn ddim
Ond am dy enw rhyfedd heb dy weld yn y cnawd;
Ac unwaith clywais dy lais o berfeddion y Cossor gyntefig
Yn wyrthiol o agos, yn bryfoclyd o bell.

Ifanc oeddwn
Yn casglu cardiau sigaréts ac enwau beirdd,
Cyn gweld 'Menywod' rhwng hysbyseb y gwin anfeddwol
A'r marwgofion yn *Seren Cymru* 'nhad-cu.

Megis yr wyt yr awron y daethost i ddechreuad fy nychymyg,
Wrda yn pererino bedair canrif yn rhy ddiweddar,
Gan syllu drwy'r canrifoedd a gollaist, i dreftadaeth dy Lys
Pan oedd Cymru yn clebran Cymraeg yn Arberth a
                                              Hwlffordd.

Un hwyr pan oedd ein trwynau'n goch a'n clustiau'n siarad
O gwmpas y stôf baraffin yn hafn y festri,
Disgynnaist ar dramp o rywle rhwng y cymylau a'r sêr
Gan ddiffodd y stwmpyn ffag yn lobi ein parchusrwydd.
A'r noson honno, daethost yn ias ac yn glogyn beic
Heb gap na menyg, yn wridog o hethwynt,
Canys Cymru oedd biau'r gwynt a fu'n iechyd i'th fogail
Rhwng Llanfair-colli'r-bws a Llanfihangel-cei-reid.

Dy ddilyn a wnaethom drwy'r wers i'r gwaed yn y gwellt,
I'r 'môr goleuni oedd â'i waelod ar Weun Parc y Blawd.'
Clywsom y gân yn y gwynt
A gwrando ar 'chwiban adnabod, adnabod nes bod adnabod':
Canfod muriau dy febyd — 'Foel Drigarn, Carn Gyfrwy, Tal
                                              Mynydd'
Gan ddilyn y geiriau pryfoclyd i balas ym mro brawdgarwch.

Pwy ond tydi a welai yr eneth ysgerbwd carreg
Yn gwrcwd oesol cyn i'r cydymaith tywyll ei chael?
Gweld hen bethau syfrdanol sy'n crafu'r ymennydd,
Tithau yn syllu i'r wal a'th wên yn porthmona hiwmor.

Dibarch haliwyd dy ddiniweidrwydd i blas yn Lloegr
I bwytho bagiau'r post at wasanaeth ei Mawrhydi;
Ti oedd paragon distaw pob cymhendod iaith
A bwch dihangol i warth ein diasgwrncefnrwydd.

Oet ddeiagnosydd ein teulu sy'n anghytuno â'r cwaciaid
Mai'r meiocardiac sy'n dadgenhedlu ein cenedl ni,
Gwelodd dy lygaid doctoraidd ar drafel drwy'r plwy llyfrgellol
Y cronig ieithyddol yn byw ar wawd a bwyd llwy'r canrifoedd.

Pan ddaeth y bwtler unlliw yn fowio i'th fyned
I'r seler oesol dan graciau a llawr y tŷ byw,
'Roedd rhywun wrth ddesg yn galw cenhedlaeth yfory
I'th weld yn syllu arnynt drwy ddail y pren.

Llwyd

(Er cof am Y Parch E. Llwyd Williams)

Oet ar Fanc Ffynnon Samson yn sacrament y seintwar
A'r Ysbryd yn clirio dy lygaid
I ganfod popeth heb sylwi ar ddim.

Y wlad ddihenydd yn ysgafn gan haf,
Pob awel yn gyfaredd o'r Meini Gŵyr,
Ac Absalom dy gyfeillgarwch
Yn wehydd rhamant y Tŷ Cwrdd to gwellt.

Yno, mi a'th welais
Yn iraidd ar ddalen o lyfr,
Ben ac ysgwyddau urddasol,
Goleuwallt, a goleuni tanbaid dy lygaid,
Y gwefusau yn fingrefft, yn ddireidi,
Wrth gusanu Piwritaniaeth y deugain plwyf
A gwenu uwchben Llangellbithen.

Oet ŵr addfwyn
A'th ffeindra yn heintus,
Ond o'r Preselau a Threlewsin
Llifodd yr afon yn haearn i'th waed.

Ciliaist i'r ogof, i'r gilfach a'r allt
Ar drywydd carn a chlocsen,
Croesi tair canrif hyd at lonyddwch Cleddau
At y bara croyw a'r cwpan piwter
I ryddin y Cymun Caeth a'r arddodiad dwylo.

Cynefin oet â'r tair blynedd ar ddeg ar hugain, —
Blynyddoedd dy Waredwr, a'r eglwys ddigapel
O Lanfihangel-ar-Arth i Gastell Garw dy fro.

Gwelsom dy wreiddiau yn tynnu at y dŵr
Heibio'r Ciliau, Banc Siop Jòs a Chwmcasgal,
Ac i lawr i Alltypistyll dros y llwybyr Tŷ Cwrdd
Lle 'roedd y cadno yn diflannu mor slei â'r wdbein gyntaf,
A'r hydref yn llusgo'n goch fel cambo Ffynnon Fair,
I gyfaredd y gelltydd a'r gwellt a gwrthgloddiau Eden.

Yn Arberth
Nid oedd gamp wrth gownter a'i gyffur,
Na dal hud, na gorsedd i'th bwyll,
Oblegid yr oedd y Llais . . .

Hwnnw a'th yrrodd i'r ddinas ar gulfor
A'i hiraeth ar rodfeydd y Sili-wen
Yn bangau am Benfro
I'r Bedyddiwr breuddwydiol;
Ond yr oedd haf yn wair celwyddog, ac yn storïau yn colli eu
hadau.

Ar y maes teg ti a gefaist yng nghyflawnder yr amser
Warant yr Ysbryd i dabernacl dy dystiolaeth,
Ffres ydoedd hi megis gwair hadau ar barc y Lan
A thafodiaith Dyfed dy dadau gwrthryfelgar
Yn feillion aroglus yng nghynhaeaf dy weledigaeth.

Cludaist y gannwyll werinol o stafell i stafell ffrynt
I oleuo am ennyd fach Seisnigeiddrwydd y gwyll,
Dim ond am ennyd, canys wedi dy fyned i'r stryd
Dôi'r nos a'r caddug a'r niwl dros ddagrau Cefn Ydfa;
Ond ym mhumlwydd wledig aflonyddwch y fflam
Bu'r saint yn pori, yn llawcian y meillion,
Yn y Byw, y Bedydd, y Briodas a'r Brofedigaeth.

Ac yn niwedd y dyddiau hynny
Ti a godaist drachefn dy babell glai
Gan gyrchu ffordd y gorllewin i wastadedd yr anthraseit,
I fwynhad blynyddoedd dinistriol dy orchest a'th gamp
Pan oedd y Mynydd Du yn wyn o addewidion.

Y bardd swil yn codi'r maen coffadwriaethol
A'r bryn yn estyn ei gariad yn fynydd o dan dy draed.
Cerddaist ei lethrau llithrig o Awst i Awst
A phwyso'n hamddenol ar dy glwydi ym mherci'r Awen
Heb weld y Tresbaswr du yng nghwm yr afon.

Gwelais di unwaith
Yn dianc o'th destun a ffoi i Lwyndŵr,
Yn dangos inni'r ffenestri a luniwyd rhag treth y golau,
Trwyddynt gwelsom y canhwyllau brwyn
A gwêr y defaid yn diferu megis dagrau.

Gwaherddaist inni'r oedfa
Rhag tarfu'r credinwyr crynedig,
Oblegid dieithr iddynt oedd y synagog sgwâr
Wedi'r ogof, a'r gilfach a'r sgubor,
Ond yng nghyfaredd dy ddrama
Gwelsom y cysgodion barfog ar foelni'r muriau
A mynwenta yng Nghrefangor cyn cyrraedd adref.

Clywaf y chwiban wylofus yn ffenestri'r Lan
A chanfod yr anweledigrwydd rhwng sgaffaldiau'r coed.

Mae deial yn sŵn afon ar wyngalch y Llofft Fach
Megis gwyliwr amser y twmfflat a'r clwyfus ffinglawdd
Yn cymell mudandod haul i fradychu oedran y dydd;
Yno ar dalcen Cwrdd Gweddi anghydffurfiaeth y dyffryn
Dy hil a'i gwelodd a'i darllen ar y Sabothau pell
Cyn dy ddod dros yr un llwybyr a mynd heb ddweud
I'r fro lle nad oes na haul nac amser, na daear yn greithiog o
feddau.

Prin ugeinmil dy ddyddiau rhwng talar a thalar
A'th dalcen tal yn byrlymu o chwys y farddoniaeth,
Methaist gloi dy dreftadaeth rhwng cloriau cyfrol
Oblegid rhennaist y baich yn ddwy goflaid drefnus
A'u bwrw yn awchus i'r preseb ym mro'r calch,
A phrofasom hufen yr hud ar y llaeth llenyddol.

Bellach prin yw'r pererinion ar Ros y Gweundir
Rhwng yr Aifft a Chanaan ac yn Senedd Trerhosyn.
Daethost yn ôl yn ysbeidiol ar gynhyrfus gynhaeaf
I hafbori ar ramant a mabinogi'r marw.
Ffroeni lafendr y mwg wrth groesi'r cloddiau cam
A gweld pob peth megis yr oedd yn y dechreuad.

Byddi yma ymhen can mlynedd, nid yn y maen mud,
Ond yn y Sul a'r silff hyd oni ddarffo'r dail;
Byddi yn olau haul ac yn deg o liw
Ar dafodau diniwed ein trennydd genhedlaeth,
Yn y Pwnc a'r Pasg, ac yn angladd yr iaith.

Unwaith disymwth ym mabandod y flwyddyn
Ar brynhawn y glaw, daethom i'r tir llechweddog,
I'th ddisgwyl o hafod dy luest i Barc y Ddôl
A gweld y dirgelwch yn cau ei freichiau amdanat;
Colomen latai a gododd o lwch y crochanau
A'i hadain yn ddisglair uwch y garsiwn a'r gaer,
Yn dychwelyd i'w llofft o grafangau'r eryr
A brwmstan y ddraig wedi deifio diniweidrwydd ei bron;
Yfory daw'r garreg gyfriniol o fwlch y Ciliau
I fythol-warchod dy eiddo, ac ymwelwyr haf
Yn hamddena eu parch o gwmpas y Maen Llwyd.

Hirlwm

Fe stwffiwyd Pythagoras gynt i'm hymennydd gwâr
Wrth adeiladu sgwariau ar y triongl-ongl-sgwâr.

Blysiwn y theoremau, a damcaniaethau pob cliw,
Erys yr hen gyfaredd — 2BC.PQ.

Roedd Euclid i frecwast a chinio, ac Euclid i de,
Ac Euclid drachefn i swper, fy mwyd oedd efe.

Ni wyddai Ned Bach Marged ond am ffwtbol a sistem y Pŵls;
Roedd ei ddwylo'n ddiymadferth i'r mathemategol dŵls.

Heddiw, mae Ned Bach Marged mewn fila ar gyrion
                                           Caerdydd,
A minnau yn dal llygoden a'i bwyta o ddydd i ddydd.

Y Gwaddotwr

Guto fain, gyda'i focs bach tun,
  Ac eilun plant y fro
Yn dweud celwyddau a dyli dwl
  Wrth ddyfod yn ei dro.

Guto fain, gyda'i focs bach tun,
  Yn blingo'r gwaddod dall,
A'i chwerthin hir yn llenwi'r sied
  Fel pe bai ddim yn gall.

Guto fain, gyda'i focs bach tun,
  Yn wlyb o'i ben i'w draed;
Guto fain, oedd mor wyn ei fyd
  Yn awr yn poeri gwaed.

Guto fain, heb ei focs bach tun,
  A'r peswch bron â'i ladd;
Cyn hir bydd Guto fain ei hun
  Mewn bocs yn is na'r wadd.

Dyffryn Taf

Bu yma drên yn siwrneio unwaith,
Gwelais ei lygaid fel dwy seren goch yn y gwyll;
Agorai ei ystlysau yn hamddenol
I ollwng y gweddill ffyddloniaid i derfyn eu taith.
Bellach nid oes yma ond ffolineb y trac didramwy
Heibio i Grymych, Llanfyrnach . . . hyd Hendy-gwyn ar Daf,
Megis rhwydwe rhwng coed yn Affrica,
Er i'r mapiau Seisnigaidd dystio fod yma reilffordd.

I lawr yn Nyffryn y Distawrwydd
Mae capel Ymneilltuol yn gori rhwng y beddau
Ond y mae'r Gymanfa Ganu a'r Gymanfa Bwnc
Yn tacluso'r fynwent a gwyngalchu'r tai bach.

Codwyd stryd o dai swil
I guddio'i hwyneb rhag yr haul.
Yr oedd y stafell ffrynt yn ddigon oer yn yr haf
I ddangos y marw hyd at ddydd ei angladd.

Bu gwŷr cedyrn yn yr agen iäennol —
Barwniaid y Beibl, a herwhelwyr yr afon;
Y rhai hyn a anfarwolodd y dyffryn.
'Roedd eu gwragedd mor doreithiog nes codi Sgŵl Bôrd
Yn Hermon, Pant-y-caws, Cwm Meils a Glandŵr.

Bu afu'r mawn yn rhostio ar Fehefin y Gors.
Pob tŷ a'i dwlc.
Slab gwelwlas o faen i halltu'r 'sgrechgi'
Cyn ei fachu yn ddarnau anatomegol ar henaint y distiau.

Bu traed egin enwogion yn hela coedwigoedd y llethrau:
Niclas y Glais, Lewis Tymbl, Capel Als a Ben Owen.
Bracsiodd Nathaniel Williams yn y dyfroedd byw rhedegog,
A bu Brynach yn cynganeddu ei dôn i gyfeiliant yr afon.

Mae'r dŵr edifeiriol yn dal i grïo yn y dyffryn tywyll, garw;
Y beilïaid yn gweinidogaethu yn y nos;
A'r ymlusgiaid mecanyddol yn clwyfo'r llechweddau.

Dim ond cyfarth tawelwch ar y Sul piwritanaidd
Pan fo'r gwartheg defosiynol yn cael eu sodlo cyn y 'cwrdd
whech'.
Gwelais dywysennau barlys Glandŵr ar Sul y Cymun
Yn plygu eu pennau barfog yn sacrament yr haul.

Pwy sy'n macsu yn ddigywilydd heno
Ac yn canu emyn cynhyrfus y Gymanfa Ddirwestol? . . .
Yr Arglwydd a roddodd lawenydd yn hedyn yr hopys.

Welwch-chi'r stabl pendefigaidd lle bu Brenin Taf
Yn bacsgamu o'i dymhorau rhywiol i fwrw ei ramant?
Heddiw i'r gwastadeddau cordeddog rhwng llethr ac afon
Daw tractor pesychlyd i ymhoelyd teircwys.

Ddwywaith y dydd
Mae diheintusrwydd y môr yn golchi ceg lydan y dyffryn;
Ac ar y ddôl hael lle penydiai mynach yn ei gwfl
Mae gosber a dolefain litani'r caniau penfoel
Wedi dychwelyd yn llwythog o ystadau'r fynachlog
A chasglu'r golud melyn i abad y Bwrdd Marchnata Llaeth.

Eto, mae penucha'r dyffryn wedi blino.
Daeth Amser i sgerbydu'r Felin a'r Ffatri;
Mae'r clafr ar y gerddi a'r metamorffosis ar yr esgair,
Ac nid yw'r chwarel ddagreuol ond pyllau glaw yn y ddaear.

Fe gawn Senedd . . . efallai.

Martin Luther King

I

Yn Ne Carolina yn y caeau reis
Nid yw'r Du a'r Gwyn, meddai'r Gwyn, yr un seis.

Ac yn Virginia lle mae'r baco'n drwch,
Mochyn yw'r Du a'i wraig yn hwch.

Ni chawsom yng Nghymru ond ambell gip
Ar Aifft yr anffodus lle teyrnasai'r Chwip.

'Draw, draw yn China a thiroedd Japan',
A ddysgasom ni mewn oes hanner pan.

Hyd oni welsom orymdaith y Du;
A'r hwyr a fu . . . a'r bore a fu.

Pwy yw hwn sydd yn esgyn o'r glyn
Heibio i lysnafedd a bwledi'r Gwyn?

II

Dwy filiwn ar hugain yn llwgu er llawnder
Y boliau bras a'r anfeidrol ddoler.

Mae mintai ar daith drwy Alabama
A llygaid cythreulig yn gwylio'r ddrama.

Pa ryw ryfedd Gariad sydd yn yr awel,
Yr ymosod di-drais a'r protestio tawel?

Yr Orymdaith fud. Ar ei thaith ni tharia;
Mae'r Brenin ar fodern hynt i'w Galfaria.

Heibio i'r Ianc yn ei *Gadillac* moethus,
Heibio i wragedd yn magu cŵn mwythus.

Ar drothwy'r Pasg di-droi-nôl eu rhodiad
Ar drywydd y Mynydd a'r Atgyfodiad.

III

'Fel pob un arall mi garwn fyw'n hir,
Bûm ar ben y mynydd a gwelais y tir.

Gwlad yr Addewid a roddwyd i'm pobl,
Cewch brofi o ffrwyth ei pherllannau nobl.

Efallai na chaf roi fy nhroed yn y wlad,
Er hynny, gwneler ewyllys fy Nhad.

Mae dyddiau celyd o'n blaenau o hyd,
Ond daw hedd tu hwnt i'r treialon i gyd.

Rwy'n hapus heno, ni phoenaf am ddim,
Mae cael gweld y wlad yn ddigon im'.

Ym Memphis bu gwaedd ar drothwy'r Pasg;
Cyflawnodd y fwled ddiawlineb ei thasg.

Y Cardi Bach

Isws 'dos dim o Witland, dim o wheil
Ond pwffian injan gwds i Abarteifi,
A'r crychydd cam yn hela wowcs o'r dingl
I'r fflowrin sy' ar bwys hen shafft Llanfyrnach.
Rhown i watsh our am stwmpyn pren am weld
Y Cardi Bach yn dod fel neidir frown
A chlywed sŵn 'i steman dan y cwaler,
Tw lêt, Twm Bach, ma'r pasinjers ar whâl
A'r bysis yn cyrnhoi o gat y steshon.

'Rwn cofio mynd drw'r cwm a hibo'r Hows
A sbïo mas i weld y gwanwn crand
Pan own i'n frenin miwn compartment sdansh,
Fe weles pan oedd ha yn bwrw'i lyged
Y Cardi Bach yn dorrog hyd y fil
O fode'n whilo joiment draw ta Gwbert.

'Dodd pethe ddim llawn cystal pan odd rhew
Yn grapach yn y trad a'r clyste'n sharad,
Dim ond rhyw ddyrned fel pyrswad cwrdd gweddi
A gadwe'r peth i fynd i sheino'r lein
Wrth ddisgwyl am y crowd.

Ma' hireth o's
Am weld y deg i whech yn ifed dŵr
Ar bwys tŷ ni, a'r gard yn waco'n browd
Wrth stwffio'i ben i weld bod pawb yn reit
Cyn whistlan bant a jwmpo ar y fan.

Hen drên bach swci odd y Cardi Bach
Yn trio ras â'r plant o bont i bont
A'u gadel nhw i ennill bron bob tro.

Fe ddath y dydd pan odd hi fel cladigeth,
Ma'n job i whilo geire am y fei
Wrth weld hen fynwod mowr ar ddryse'r strit
Yn llefen fel y stwc, a'r Cardi Bach
Yn llusgo mas a blode ar 'i frest.

Ar amal nosweth ddu fel bola buwch
Fe 'ddylies fod i'n gweld y sersen goch
Yn rysho igam-oga rownd y tro,
Drycholeth odd y cwbwl, gweitha modd.

'Rodd dyfrodd mowr a'r tonne yn 'y llyged
Pan glywes am 'i hanes ar bwys Margam
Yn domen whŷs.
              Ond falle daw e 'nôl
Am fis ne ddou o'r ha'.

              Os yw e'n wir
Gobeithio bydd yr hen frigêd yn fyw
Er mwyn 'i weld e'n dod am unweth wheil
A clywed sŵn 'i whislan yn y cwm.

'Bydd rhwyddach marw wedyn,' medde nhw,
'Cyn gweld y blode'n tyfu ar y lein.'

Er Cof Am Weinidog

(Y Parchedig D.J. Michael, Blaenconin)

Daeth yma yn 1909
I eistedd ar ben llidiart ffin pob dadl;
I ysgrifennu cymeradwyaethau:
'Y-mae-hwn-a-hwn-yn-sobr-yn-eirwir . . .',
Heb wybod fod yr ymgeisydd cyfrwys
Y foment honno'n cicio'i sodlau
Ym mlawd llif yr *Iron Duke.*
'Mae'n ffyddlon ym Mlaenconin . . .
Roedd ei dad-cu yn un o bileri . . .'
Tynnu'r gwreiddiau o bridd y Gymdeithas
I'w harddangos i'r cyflogwr
Yn hytrach na chymeradwyo cyffredinedd y pren.

Fe gododd gapel,
Megis ffordd osgoi rhag y Farwolaeth nad yw'n farwolaeth;
Ac arwain pob angladd allan drwy'r porth,
A dilyn ei reddf at y bedd agored
I gyfeiriad y Gorllewin a'r machlud stacato.

Bugeiliodd ei braidd llywaeth —
'Sut mae heddi? Pawb yn iach?' . . .
A mynd yn blwmp fel'na.

Rwy'n cofio'i weld am y tro cyntaf —
Cododd yn otomatig o gilfach y Sêt Fawr
I ddarllen cofnodion tyngedfennol y Cwrdd Adran.
Peiriannai'r brawddegau'n bistonnaidd
A gosod y ffeithiau yn ystadegol gywir.
Mor ddifrifol â diwedd y byd.

Oedd fab Tangnefedd
Yn agor ei ymbrelo ar ffrwst
Wrth ganfod o bell gwmwl problem eglwysig
Megis cledr llaw dyn yn ymddangos ar y gorwel.

Oedd Athro nobl
Ar Sadwrn y trip ar y tywod,
A'r diaconiaid ufudd wrth ei draed
Yn lled-orwedd megis y disgyblion ar lannau Tiberias gynt.

Cadwai yntau lygad gwyliadwrus
Rhag i'r plant fentro yn eu diniweidrwydd
I freichiau anwesol y môr.
Am hanner awr wedi chwech edrychai ar ei oriawr
Ac arwain ei braidd i ddiogelwch y goits
Rhag crafangau nos Sadwrn y byd.

Wrth fwrdd y briodas
Codai gyda'r lleill i yfed Iechyd Da,
Cyn cyfarch y pâr ifanc
Yn dirion ac urddasol wrth eu cyfenwau;
A gwelais yr haul yn gwenu
Yn swil drwy'r sudd oren bedyddiedig.

Rwy'n cofio'r hen wraig orweiddiog
Yn dyheu am gael marw cyn ei fyned o'r ystafell
Am y gallai hithau nofio'r Iorddonen yn ei hafiaith
Ond iddi gael cydio yn ei law welw,
A chlywed y tafod a bregethodd iddi hanner canrif o Efengyl
Yn ei chyfarwyddo i luest dragwyddol ar fryniau Canaan.

Dyn Duw ydoedd.
Yr un ei iaith mewn ocsiwn a chwrdd gweddi
Fel pe bai wedi dod o'r Nefoedd
Ar wyliau hir i Glunderwen.
Iaith Iesu a Phantycelyn,
Iaith y gŵr â'r swmbwl yn y cnawd.
Rhy ofnus efe i fentro i wleidyddiaeth na basâr.

Aeth adref at Arglwydd y Winllan
A gosod y llyfr cownt ger ei fron.
Yr oedd y cyfrifon yn berffaith,
Ac nid oedd angen i'r angel ysgrifennu:
'Archwiliwyd, a chafwyd yn gywir.'

Ffarwel I'r Brenin
(I'r Parch R. Parri Roberts, ym 1958)

Fe roi dy bregeth fel dy datws cynnar
    Yn saig i'r *gourmet*, ac yn llond ei blât;
Prysur dy ddwylo yn yr ardd lle ffynna'r
    Ffrwyth, fel dy ddefaid, heb un oedfa fflat.
Codaist dy ddwrn yn erbyn trais cyrnoliaid
    A fu'n llygadu ar Breselau'r fro,
Arweiniaist dy Fethel rhag pob gwanc fandaliaid
    Er mwyn yr ifanc, ac er mwyn meirw'r gro;
Ti biau'r Fynachlog Ddu a'i holl baderau,
    Eiddot, esgobaeth y Bedyddwyr Rhydd,
Ceraist Gyfrinach Fawr yr anialderau,
    Ar awr hwyrfore pan fo'r nos yn ddydd;
Ond fe lwyddaist, Parri Bach, i'n moderneiddio;
Gwyn fyd na fedret mwy, ein Bodederneiddio.

Dwyreinwynt

Merlen yn tinsiglo a'i thraed yn sownd
Rhwng eithin claf o hethwynt ar y banc,
A sgwarnog ar y sychgae yn siwr bownd,
Cyn elo'r nos i'w hynt, o ddod i'w thranc;
Mae gormes yn y gwellt ac yn y gwaed
Ac ochain dioddefaint yn y brwyn;
Mi welaf wrychblu'r brain pan fo gwynt traed
Y meirw yn taflu cegoer gyrff ar lwyn.
Yng nghartws du yr Angau y mae sglein
Ar elor a mesurbren lle bu'r llwch;
Hen beswch yn y nos fel gwich diclein
A chwŷs ar wedd y Rhwyfwr yn ei gwch.
Mae popeth yn y fro yn rhewi'n dalp,
Popeth ond clwydi Llanfair-cwm-y-sgalp.

Y Llynnoedd

Bro'r dyfal ddatgymalu, — bro naw llyn
    A brwyn a llaid pygddu,
    Bro Pen Llyn a'r Dibyn Du,
    Daear werdd a dŵr oerddu.

Oerddu fel ceudod hirddant — o geg wag
    Y gors yw Llyn Egnant;
    Y crawn pwdr yn cronni pant
    O ddiharnais ddwy hirnant.

Hirnant mewn gwres ac oerni — muriau tal
    Lle mae'r tir yn hollti;
    Llun tafod yw Llyn Teifi,
    Nef y lord a fu ei li.

Ei li gwelw a'i haul gwiwlan — hwyr o haf
    A hir hedd Llyn Gorlan;
    Byd di-stŵr a'r dŵr ar dân
    A llaw dyner gwyllt anian.

Anian o iâ ac eira gwyn — a welais
    Ar oledd Llyn Figyn;
    Diarbed gorwynt wedyn,
    A'i oer lach yn llwch ar lyn.

Ar lyn bu'r Mynaich Gwynion — oesau 'nôl
    Dan ias niwl Llyn Gynon;
    O lan y dŵr fe glywn dôn
    Wylaidd yn si'r awelon.

Awelon heb ruthr deiliach — yn cwrsio
    Dros y corsydd tingrach;
    Awelon Llyn Fyrddon Fach
    A'u hiraeth yn y gweiriach.

Yn y gweiriach yn gorwedd — yno 'rwyf
    Yn yr hen dangnefedd;
    Gweld mewn breuddwyd lain lwydwedd,
    A Llyn Hir yn llawn o hedd.

Hedd ar fron Llyn Fyrddon Fawr — a wybûm
   Mewn bad uwch y dulawr,
  A dydd di-dor, dioriawr,
  Mewn cwm o dan Domen Cawr.

Y cawr a gaed yn gwaedu — o'i glwyfo
   Mewn gleifwaith ger Claerddu;
  O boen meidrol bu'n madru,
  A'i waed oer yw y Llyn Du.

Du ydyw'r wybren heno, — du yw'r gwaed
   Ar gors yng Nghwm Oiro;
  A'r rhewynt heibio'n rhuo
  Ar nos lwyd, breuddwyd yw bro.

O'r Gwyll

Ystryd wahanglwyfus
　Mewn machlud o waed,
A phydredd y fawnog
　Yn grawn yn ei thraed.

Bataliwn y carpiau
　Yn gwingo ar lein,
A'r hwyrwynt gwerinol
　Fel peswch diclein.

Socedau ffenestri
　Mewn penglog ar slent,
Esgidiau yn erlyn
　Am wythswllt eu rhent.

Ond cliriwch y milgwn
　A'r holl botiau jam,
Mae 'Brabham' yn dyfod
　Ar olwynion pram.

Pumlumon

Yn nyddiau'r mawn fe'm siglwyd dros Ddisgwylfa
   Ar drwyn-mewn-llyfrau daith, ond gwyddai Loc
Am droeon slei Bwlch Cyfyng a Phen Bwllfa,
   A'i chlec pedolau megis pendil cloc.
Ni wyddwn wrth fwlgramio ffaith a dyddiad
   Yng nghert yr achau gynt, fy mod ar dir
Hen frwydrau tyngedfennol lle bu'r lleiddiad
   O'r Dwyrain, yn troi adre o Fryn Clir;
Disgyn ar gopa'r byd cyn gado'r goben
   I grwydro'r fawnog ar lyffethair draed;
Awchlymu'r haearn gwthio, troi'r dywarchen
   I'r merddwr gwyrdd, a gweld y gors yn waed.
Heddiw, mi blygaf ger y mynydd hwn
Pan waeddo'r lleisiau pell o Graig y Dwn.

Niclas y Glais

Dynesai gynt yn stafell gefn Cross Inn
Â'r nodwydd yn orlwythog o gocên;
Parablai soned, ac uwchben y bin
Fe syllai arnaf â'i ddanheddog wên.
Yna, a'r disgwyl drosodd, tynnu'r dant
Gan ddiawlio hen frenhinoedd yr un pryd:
Clodfori'r werin dlawd a Stalin sant,
A beio Churchill am fochyndra'r byd.
Daeth yntau un prynhawn i'w ymdaith ers
Blynyddoedd chwim, o garchar ac o glod.
Cludwyd ei gorff o'r comiwnyddol hers
A'i roi i'r fflam cyn 'gweld . . . y dydd yn dod':
Cymysg â phridd ei fro byth bythoedd mwy
Yw'r anweledig lwch ar Grugiau Dwy.

Credo

Nid oedd dechreuad i Amser, nid syniad yw hynny ond sens,
Ni ellir mynd 'nôl at y Ffin a dweud: 'Dyma'r Ffens'.

Ni fydd diwedd i Amser yn y Diddiwedd Mawr,
Nid oes i'r cyfanfyd anghyflawn na llofft na llawr.

Bûm yma droeon o'r blaen, 'rwy'n siŵr, mewn ffwdanus
                                                    gnawd,
Yn wylo, yn chwerthin, yn marw, ar hirhoedlog rawd.

Mi ddychwelaf drachefn a thrachefn heb os nac onibai
Pan fyddo'r Crochenydd Mawr yn ailfowldio fy nghlai.

Nid wyf ond miliynau o gelloedd a chemegau brwd,
Rwy'n pechu ac yn phariseiadu fel y byddo'r mŵd.

Ni ellir caethiwo Bywyd, mae enaid yn anfarwol giwt,
Ni saif yn llonydd ond pan fyddo Angau yn newid ei siwt.

Ni chredaf mewn nefoedd o delyn aur, a choron, a chân,
Ac ni chredaf ychwaith mewn uffern o dragwyddol dân.

Rwy'n credu mewn Tragwyddoldeb hyd at berffeithrwydd ein
                                                    Byw,
Nid ydyw Tragwyddoldeb ond enw arall ar DDUW.

Claddu'r Asyn

Yn ymyl Tre-lech mae comin Cil-hir
Lle dôi teulu'r sipsiwn, wrth grwydro'r sir.

Roedd ganddynt hen asyn esgyrnog, di-werth,
Yn canlyn o hirbell, wedi colli ei nerth.

Fe glywid ei nadu — Hi—o—i—o
Yn codi dychryn a'r hwyr dros y fro.

Bu farw'r asyn un nos dan y lloer,
Ac erbyn y bore roedd yn gelain oer.

Daeth y Ficer ar daith, ac edrych i lawr
O gefn ei feic ar y trychineb mawr.

Ac i ffwrdd yr aeth heb aros yn hwy
I chwilio am Glerc y Cyngor Plwy;

I dorri'r newydd am farwolaeth syn
Ar gomin Cil-hir wrth droed y bryn.

Llefarodd y Clerc: 'Nid fy ngwaith i
Yw claddu'r asyn; eich dyletswydd chi

Yw claddu'r plwyfolion yn ôl eich trefn,
A pheidiwch dod yma fel hyn drachefn.'

Atebodd y Ficer yn bwyllog iawn:
'Mi wn, wrth gwrs, am eich gallu a'ch dawn;

Ond cyn claddu neb ar ddiwedd ei rawd
Rwy'n arfer hysbysu perthnasau'r brawd.'

Pan adroddir y stori o hyd yn y fro
Mae rhywun yn ateb: Hi—o—i—o.
            Hi—o—ho—ho—ho.

Clwb Hen Bobol

Rodd lot ohonyn nhw ambwyti'r lle
Yn waco nôl a mlân i efel Ned
Y Go ar bwys 'u ffonne. Ond pan ddath
Weier o'r Ange whap i weud wrth Ned
Am rysho gatre hibo'r Nachlog Fowr
Fe fuodd hyn yn shoc.

            'Ro nhw'r hen bobl
O'r pentre wedi crafu co bob wan,
Ac wedi crafu writh i roi ar ben
Hen batner yn y coffin pert. Go whith
Odd gweld y rhein yn llefen fel y stwc
Wrth sbïo lawr i'r bedd pan odd y clochydd
Yn towlu pridd i'r pridd, a'r ciwrat newydd
Yn gweud y llith heb golli dafan whŷs.

Wedi'r cladigeth rodd pob wan ar goll,
A dechre becso le i gwrdd am glaps.

Twm Welws gath y sens i weud 'i farn
Y dylen nhw heb smoneth gal comiti
A prynu'r stabal gwag ar bwys y Blac
A fformo Clwb Hen Bobol yn y lle —
'Fe welws i neud hyn sha Cwmer co.'

Rodd Twm yn reit, wath fydde neb yn dod
I'r efel wedi Ned; os odd na welcwm
I wowcan yn y garej wrth y scwâr
Go ddanjerus oedd hi no a'r hen geir
Yn baco miwn a mas, fe alle dyn
Ddrysu yn 'i fagle a thorri côs
Yn gratsh, wath fydde compo fowr o werth
I gradur pedwar ugen.

              Dyma gwrdd
Rw nosweth ym mis Mowrth, er mwyn rhoi shap
Ar bethe cyn i'r geua wedyn ddod
A'r towydd yn rhy ôr na fedre dyn
Ddim stretshio dros y bont fel Bwa'r Ach
A'i ben i lawr, i watsho trowt a sildod
Ar ben y swnd.

A hedfan dan y bwrdd. Rodd dou ne dri
Yn mogu nawr a lweth pan odd gás
Y Rhyfel Mowr yn cosi yn 'u lyngs.
Ond rodd y rhein yn ffilu pido gweud
Amdanyn nhw yn Ffrans wrth newid âr
Yn clemio ac yn byw ar gorwg idon
Odd wedi cal i whwthu lan i'r transh,
A hwnnw'n ffeinach ganweth na bwyd ambor.

Dim pobol porfa giâr odd yn y Clwb
I gyd. Dath rhai nôl gartre wedi gwneud
'U peil, a bildo bynglo ne dŷ mowr.
A rhai rôl mhoeli'r gart yn snecan nôl
At frawd ne whâr i folaheulo'n bwdwr
Ar gompo ne ar shiwrans. Rodd y rhain
Yn tychan miwn i'r Clwb yn wep a swch.
Fe fydden nhw'n lusenna ffags a sdwmps
Nes codi mwnci amal un.

Os odd
Profoco a chynhenna yn mynd mlân
Fe wede pawb fod lot o bethe da
Wrth fformo clwb. A dyna wede'r mynwed
Na fydde ise mynd ymhell i whilo
Dim ond i giso rhwun ar yr hewl
I dowlu screch wrth basho lan ne lawr
A gweud bod cino'n oiri.

Amal iawn
Yr oirodd pan odd lecshiwn ar y plât,
A'r dadle mowr nid whare rhwng pob dou
Fel parlament ar dân pan wele pawb
Y sers yn padlan yn y dadle poth.

Fel houl ar ôl cymyle, bydde whap
Barli, a neb a wherwedd cwmpo mas,
Wath felna rodd hi wastad rowndabowt
Wrth gwmpo miwn a chwmpo mas ar nail.

Os gweli di rhw ole dwnjwr nos
Fel cannwyll frwyn yn peico dros yr hewl,
Bydd un ohonyn nhw'n dod nôl i'r Clwb.
Fe glywodd rhai y shyfflan nôl a mlân
A llwo fod y draffts yn jwmpo'i gilydd
Fel da'n cardingo ar y clers.

       Ni fuwd fowr o dro
Yn pigo y comiti. Wedyn bant
Â hi i brynu stabal i neud clwb.
Dodd fowr o waith i droi, rodd sawl tŷ byw
Mewn mwy o bicil isws nag odd hwn.
Dim ise tynnu bache'r homs a'r strodur
Na'r hoilen odd yn dal y mwnci lan,
Mi ddele rhein yn handi reit mas law
I hongian cote. A rodd lle bach nêt
Yn twll y lowsed yno ar y wal
I dowlu het ne gap.

       Ond dath yr awr,
Drannoth i Ffair Gwl Grog, i agor drws
'Y Gorwel'. Fe nath ddwrnod ffein irfeddu.
Ma'n anodd gwbod pwy odd gynta lawr
O'r wâl, — y fe'r whibonog ar y weun
Ne nhw'r hen bobol yn 'u drepers crand.
A gwelwd hyd yn od y plant a'r cŵn
Yn peico ac yn neido.

       Wrth gwrs rhaid
Odd cadw dletswdd cyn mynd miwn i'r lle
A gofyn i'r Bod Mowr santeiddio'r man.
Ond dodd dim gwec yn llyfyr gweddie'r ffirad
Am agor clwb. Beth otsh am hynny, wath
Fe alle fe wneud pishyn mas o'r frest.
Fe nath yn ddigon teidi nes ath i glandro
Am stabal Bethlem a'r doncïod bach,
A mowr y snwffan i facynnon poced, —
Rhwle i gwato wmed mas o'r byd.

Ma ôs gwiniadur o ar hynny nawr,
Cawd yma lot o sbort a winc a hoi
Ar hyd yr holl flynydde. Fe gath rhai
O'r criw 'u herso i'r Ca Cerrig. Ôs,
Ma amal un yn cysgu yn y fot
O dan y twmb. Ddon nhw ddim yto nôl
I whare draffts a liwdo, ac i dynnu
Côs.

       Well i finne bido hela wowcs
A swantan whaneg i weud whedel fflat
Wrth sbïo wheil i'r bedde rhwng y ffrwcs.
Troi bant a gweld nhw lweth yn y Clwb;
Hen gyrffe wedi wero mas bob wan,
Meiners Llwn Llwid yn blastar o decâd
Yn peswch nes bo'r carde'n jwmpo lan.

       Os a i
Yr ochor whith i'r Nachlog ambell waith
A sbïo o'r cefen ar y cerrig ôr
Fe alla nabod lle ma bedd pob wan,
Felna rodd e Twm Welws ar y slei
Yn nabod cefne dobinos mewn gêm
Gan shêto i gâl whech i hanner peint.

Ma'r allwe wedi rhwdu os blynydde
A'r ffynds yn gori hwrni yn y banc.
Ond ma ma rai hen bobol yto stil
Yn câl'u sbwylo'n ddeche.

       A ma'r lleill
Yn câl 'u rhoi mewn llefydd itha neis
Mewn plase. Dein i chi, na stansh ma nhw.

Maes Yr Eisteddfod

(Gan ymddiheuro i'r Prifeirdd D.R. a Rh. W., ac eraill)

Dere, fy mab,
  i weld rhesymau dros dy gymell
  a deall paham y daethost.
  Dangosaf iti wendid y chwiwiau sydd ynot,
  dangosaf iti'r Maes
  sy'n erwau rhad rhwng dy draed.

Dere, fy mab,
  dangosaf iti'r dynion hunanaberthol
  sy'n cadw, mewn dagrau, y 'Steddfod yn gymen;
  buwch a llo y Pafiliwn a'r Babell Lên;
  beirdd gwlad a beirdd coleg,
  y plygwyr-ffyrc awenus a'r Uri o feirniad.

  dangosaf iti sut mae llunio pryddest
  yn gain mewn deugain gair
  o goncrit dihafal y bardd modern;
  chwilio synnwyr yn y gyfrol 'Nadolig Awst';
  rhag iti neidio am byth i'r afon.

  dangosaf iti'r cerfluniau anfarwol
  ar bwys pabell Cyngor y Celfyddydau,
  lle mae'r amheuwyr yn lleng.
  a'r deillion yn rhodio fel coed ar y Maes.

    dangosaf iti'r llenor,
    y dyn yn y glaw
    ac olion athrylith o dan y gwallt.

  dangosaf iti'r Tŷ lle ceisiwyd llofruddio'r Delyneg.

    Dere, fy mab,
    yn llaw dy dad,
    a dangosaf iti'r diwylliant
    sydd yn llygaid coch dy Gymru.

II

Dyma'r
   T
     O
       I
         L
           E
             D
                mewn Cymraeg clasurol.

III

Pwy yw hwn sy'n dod o'r Babell Lên
Yn goch heb wobr, yn las gan siomedigaeth,
A'i regi yn yr awyr, heb dystysgrif o dan ei gesail,
A *Barn* a *Blodau'r Ffair* a *Lol* a'r *Traethodydd* yn ei boced?
O Feirniad annwyl, anfon y Safon i'r Eisteddfod.

Gwrandewch
(Nid dagrau yw'r siom, ond ffaith)
Ni chafodd y wobr am Soned —
Dim ond brawddeg o feirniadaeth dros ben am lwc,
(Bydd Cyfrol y Cyfansoddiadau'n fargen fawr).
Ac o'r foment honno chwydodd ei sylwadau epileptig i'n
clustiau.

Halogwyd y safonau;
Collodd y Steddfod ei gwyryfdod,
A chywilyddiodd y colledig o dan goed y Maes.

Fedrwch-chi deimlo'r siarad yn wahanol?

Gwrandewch gyda mi —
Mae sŵn diwylliant yn fy nghlustiau —

-Ma' Bobi Jones gystal bachan â Cheiriog.
-Os na chlywest ti Bet ni wyddost ti ddim beth yw Contralto.
-Rwy'n cofio Cynan yn disgyfro'r Orsedd.
-Ma' Euros yn canu fel Pantycelyn.
-Rwy'n cofio Tilsli yn ennill y Goron.
-Leiciwn i weld George Thomas yn Archdderwydd.

-Where is the Pavilion?
-Cymro di-Gymraeg.
-Ma' te bendigedig yn y Banc. Am ddim, boi.
-Dyma'r llun buddugol. Menyw nefi-blw. Ar y rhew tynnwd e.
-Hi-hi.
-Welest ti hwn? Draenog?
-Nage. Hen ŵr â barf.

Mae'r oll yn ddiwylliedig.

-Ma' stecs bentigili o'r iet.
-Down for the day like.
-Ma' hi'n ddanjerus i sbido ar y motorwe.
-Do'n tad, cychwyn bora efo nacw.
-A fedrwch chi fy nghyfeirio i'r Arddangosfa Celf a Chrefft?
-Y?

O bydded i'r hen iaith barhau.

Dere, fy mab,
   dangosaf iti'r cyhoeddwyr yn eu tlodi
   yn llyfu traed awduron;
   yn gweddïo am nofel heb fod ynddi Ryw.

   dangosaf iti'r Beirniad Llenyddol
   a'r sebon tragwyddol yn ewyn yn ei inc.

   dangosaf iti'r Orsedd;
   pob un yn Fardd, Llenor neu Gerddor,
   neu Gerddwr.

Dere, fy mab,
   dangosaf iti'r Babell Fwyd
   lle mae stiwardiaid yr iaith yn talu'n ddrud,
   a'r gweinyddesau o Loegr yn siarad iaith dy fam-gu.

   dangosaf iti ohebydd y Mêl;
   brwd dros ein diwylliant yn ei golofn ddyddiol.

   dangosaf iti Babell y Cymdeithasau
   yn llawn, er y glaw sy'n tasgu ar y to.
   dangosaf iti'r dyn yn y gwynt
   a wêl bawb ond ei ffrindiau academaidd.

dangosaf iti ddyn y ddoler
unwaith eto yng Nghymru annwyl
a'r hiraeth yn gymysg â'r gwaed yn ei wythiennau.

dangosaf iti'r miloedd diwylliedig;
pob un wedi talu am ei docyn wrth y pyrth.

dangosaf iti Lywydd y Dydd
heb flewyn ar ei dafod yn ei foch.

Caf weld 'rôl cau o'r Steddfod dristwch pell
Y Babell lle-na-chafwyd-safon-leni
Fel sgerbwd yn dadfeilio ar y Maes
A'r clwstwr pebyll wythnos megis esgyrn
Gweddillion pryddest . . . yna'r niwl yn cau.

Cymdogion

Mae hanner canrif neis y Weinidogaeth
Fel cledd ar flewyn heno uwch fy mhen;
Y llai na'r lleiaf ydwyf yn bustachu
Ymhlith y saint ar lwybrau'r Nefoedd Wen.

Ar hwyr Sadyrnaidd syllaf drwy'r ffenestri
Dros Ros yr Heiffen megis gŵr mewn trans.
Mae'r hen gymdogion hoffus? Mi a'u gwelaf
Yn taflu llygaid mwyn ar stydi'r Mans.

★ ★ ★

Gweld Eben Tan-y-Graig yn garddio'i wynfyd
A'r ffrwd o'r shag tragwyddol dan ei ddant;
Boed iddo hedd nes delo ieir Drws Nesa'
I'w cymell adre'n wylaidd gan y sant.

Mae'r bâl yn crafu'r graig o dan y priddyn,
Mae'r deyrnas fach yn cochi yn yr haul.
Ei waddol yw a ddaeth trwy ymgyfreithio
Heb golli tymer, ond bu'n werth y draul.

Yr hen gymydog annwyl. Rhoddaist goron
Y llynedd at y Weinidogaeth Hon.
Paham y lloriaist ef, O Arglwydd grasol,
Gan glwy'r lymbego ar bob Saboth bron?

★ ★ ★

Gweld Meri Marged wrth y glwyd yn disgwyl
Am Leisa'r ferch o Loeger, ar ôl mis
O ddysgu plant yr estron — gwaith diddiolch —
A phopeth heddiw'n codi yn ei bris.

Rhaid dweud ar frys am lwyddiant Wncwl Ifan
Wrth dynnu'r weiers er ei chael yn ôl;
Pam certio yr athrylith dros Glawdd Offa
A'r syched am wybodaeth ym Mhen-Ddôl?

O! Meri Marged, buost fwyn dy dafod
Pan alwodd y Cynghorydd amser te;
Fe roddaist i ddieithryn bob danteithion
Yn fawr dy ffwdan, heb ei 'nabod e'.

Na foed i'r anystyriol wrthod credu
Mai disgwyl wyt am Leisa wrth y glwyd,
Rhag iddynt genfigennu wrth newydd-deb
Dy ffrog sidanwe a'th sandalau llwyd.

★　★　★

Gweld Twm Ffon Wen yn codi pin o'r gwter
Cyn ffeindio'i ffordd i'r Swan o dap i dap;
Na warafuner iddo ddawn Cyfarwydd,
Mor fyr yw'r nos pan gano cloch 'Stop tap'.

Am bedwar mis ymladdodd dros ei frenin
Yn ffosydd Ffrainc cyn colli golau dydd;
Daeth 'nôl i ofal Phebi a Rhagluniaeth,
A hanner canrif y chwedleua rhydd.

Rhowch glod i'w ddewrder gynt wrth gynffon bidog
A'r fenter fawr pan ydoedd Twm yn Tom;
Nid chware bach oedd gadael corn yr aradr
Gan redeg draw i'r picnic ar y Somme.

Mae'n dal i sbïo dros ei wydrau tywyll
Nes dod o hyd i stwmpyn ar y llawr;
Mor hen yw'r graith yn Rhos yr Heiffen heno —
Y graith a luniwyd gan y Rhyfel Mawr.

★　★　★

Gweld Dafi'r Siop yn rhwbio'i ddwylo gonest
Â'r sebon anweledig ar y Sgwâr;
Fe fwydodd fro ei eni yn ddirwgnach
Heb dwyllo neb, na mynnu mwy na'i siâr.

Fe werthodd fara'r cymun heb ei gymell
I saint y Capel Bach am swllt y dorth;
Bydd yno bore 'fory gyda'r cyntaf
A'i sgidiau Sul yn gwichian yn y porth.

Rhowch iddo hanner d'wrnod rhydd bob wythnos
Er mwyn y car a gostiodd ddeunaw cant;
Mae'r ffordd ymhell i'r Clwb o Biwritania,
Mae'n unig iawn i'r sawl na chafodd blant.

'Rwy'n gweld y crwt o was yn dod ar neges:
'Letusen fach i swper.' — Rhag i'r Cop
Amharu ar gymdeithas mor gymdogol
A fu rhwng cegau'r Mans a Dafi'r Siop.

★ ★ ★

Nid oes na mwg na bywyd ym Mhant Arian,
Ond heirdd yw blodau'r ysgall yn y gwynt,
A neb ond Ianto'r Post a'r Angau creulon
Yn cnocio heibio ar ysbeidiol hynt.

Pan sycho'r dorth yng nghwpwrdd llwyd Pant Arian,
Ei chrystyn hi sy'n cynnal deuddyn tlawd;
Mor araf y datblyga'r bondiau cynnil,
Beth ydyw pump y cant i'r ddau hen frawd?

Bydd dirion, wynt, wrth hyrddio'r mynydd eira
Dros Ros yr Heiffen megis breuddwyd brud,
Mae'r seiri coed a maen mor ysglyfaethus
Am gael eu talu, ac mae'r paent mor ddrud.

Gwae hwy na fai pob cyfranddaliad cyfrwys
Yn iachawdwriaeth heb na chwymp na thrai;
Gwyn fyd na ddôi'r Nadolig bob pythefnos
Â'i barsel bwyd o goffrau'r W.I.

★ ★ ★

Gweld Ned yr Hewl yn bwrw lludded wythnos
A'i bwys ar Fwlch y Reilen yn Nhŷ-Draw;
Ni wêl y sbectolheigion ar y Cyngor
Fod Ned a'i gefn yn grwm fel coes ei raw.

Rhoes ugain mlynedd maith i drwsio'r cloddiau
Ac ugain arall i'r aleiau glas,
Bwyta'i enllyn prin mewn Ffordyn dwyflwydd,
A'i ddadl yn deg dros wŷr y swyddi bras.

Pan fyddo'r teithwyr gwibiog yn mynd heibio,
Ni chlyw, ni wêl y diarhebol grach,
A phan ddêl awr ymadael ni fydd oriawr
Dan fynych drwyn yn slei a distaw bach.

Gadawer iddo i Sadyrna'i dyddyn,
Mae'n gaethwas yn y gorthrwm trwm a'r trais;
Tu hwnt i ddydd ei orffwys diarglwyddiaeth
Mae bore Llun y fflag, a'r clawdd a'r clais.

*   *   *

Mae'r nos yn llwydo dros y tir, a thynnaf
Y bleinds i lawr, nid rhag un llygad slei.
O! Ros yr Heiffen, na, ni cheisiaist glodydd,
Ond heno, er dy brotest, ti a'u cei.

Tydi, a roddaist hen gymdogion hoffus
(I was yr Arglwydd er ei feiau mawr),
Di-glonc gymdogion, heb un rhith duwioldeb,
Heb gwirciau cas sy'n poeni llwch y llawr.

Rhoesant eu catalogiau yn ddiachwyn
I blant y postman, noson llosgi'r Gai,
Ac er i Moss ddod adre bot-wrth-gynffon,
Nid arnynt hwy, angylion, 'roedd y bai.

Tyrd yma Pws, rhag ofn i grwt Drws Nesa'
Syrthio i'r afon o'th gofleidio di,
A thorri ar dawelwch tangnefeddus
Sydd yma i weinidog, cath, a chi.

Beca

'Rhyw ddynes go ryfedd yw Beca
Am blant mi goeliaf yn siŵr;
Mae ganddi rai cannoedd o ferched,
Er hynny, 'does ganddi'r un gŵr;
Mae hyn yn beth achos rhyfeddu,
I bawb yn gyffredin trwy'r wlad,
Pa ffordd y mae Beca yn medru
Rheoli'r holl blant heb un tad.

Hen Faled

★ ★ ★

Fodurwr droed-ar-sbardun
A'th ruthro fel y gwynt,
Pan fyddi ar dy drafel
Yn mynd dros dar a grafel
Cwyd het i'r dyddiau gynt.

Ni chei di dalu heddiw
Wrth glwyd, na hollti blew;
Pan fydd dy gar yn yfed
Y gwynt ar briffyrdd Dyfed
Rho barch i'r Merched glew.

Dros wiber dar Macadam
Daw'r llu cerbydau balch
Lle gynt bu trwsgwl osgo
A llusgo hir afrosgo
Y ceirt a'u llwythi calch.

Bu'r dyddiau braf ar grefydd
Yn ddyddiau trais ar fro,
Pan geisiodd Tomos Bwlin
Gael gwerin ar ei deulin
A thalu'r doll bob tro.

Cyn clywed sôn am Undeb,
Cyn bod un bri ar fart
Bu rhegi'r tollau anfad;
'Roedd swllt am ugain dafad
A grot am siwrne'r gart.

Ond nid yw rheg yn symud
Na chlwyd na tholl na thrais;
Ym mro yr ŷch sy'n crymu
Ni thâl na moesymgrymu,
Nid mud sy'n symud Sais.

Un sgwarnog-olau-leuad
O ffermdai pen draw'r byd
I'r gegin yng Nglynseithman,
Amaethdy pell o bobman,
Fe ddaeth y Plant ynghyd.

Fin nos o Fai'r-gwaed-ferwi
Yn eitin thyrti nain,
Fe aeth y fyddin farfog
A'u dwylo cyrn yn arfog
I'r frwydr dros grinllwyd lain.

Fe ddawnsiai'r sêr direidus,
Fe chwarddai'r lloer uwchben,
Wrth ganfod dwylath Beca
Yn hysio'r Plant i'w meca
A chlwyd yr Efail Wen.

Maluriwyd pob ystyllen
A'u damsang megis sarn,
Fe losgwyd tŷ y ceidwad
Heb ringyll na milwriad
I atal rhaib y farn.

Os main oedd clust pob ustus
Mewn Sasiwn ac mewn ffair,
Nid oedd o Bentregalar
Hyd Ben y Bryn a'r Dalar
Ond mudion prin eu gair.

Er maint y chwilio dyfal
A chlonc y cwrw rhad,
Wrth gofio Twm Carnabwth
Distewai'r mwyaf cegrwth;
Ni wybu'r ynad bolrwth
Pwy fu'n cyflawni'r 'brad'.

Ym mynwent lwydaidd Bethel
Ym mro'r Fynachlog Ddu
Mae Beca'n huno'n dawel,
A chlywaf gyda'r awel
O'r dyddiau gynt a fu

Hen alwad y Preselau
A'r bygwth yn eu llais:
'Paham yr wyt yn cysgu
A raid i mi dy ddysgu
I dorri clwydi'r Sais?'

Pan elwyf mewn sedd Ostin
O'r Glog drwy'r Efail Wen,
'R wy'n gyrru'n wyllt heb eisiau
Rhag ofn y bydd y lleisiau
Yn chwerthin am fy mhen.

Cwm Cedni

(Yn nhafodiaith Ffair Rhos)

Ar Ros Man Gwelw rhwng y Nefodd a'r Dwyren
Ma' na dwll yn y glôb rhwng yr Esger a'r Cefen;
Fedre neb dowli carreg yn gros i'r pen arall
Pan own i yn grwt, os odich chi'n diall;
Ta wath am hynni ma'r lled yn y meddwl
Yn dod nôl â'r hireth o hyd fel cwmwl.

Rodd 'na ddou ddyddyn comin — y Cwm a Blanresger
Yn sbïo i'r cwm ac yn 'i watsho'n eger,
Er nad odd dim byd ond blewyn gwair cwta
Yn tyfu ar gorpws yr hen ddeiar swta;
Rodd y fuwch a'r gaseg ambell waith bwyti llefen
Am na fedren nhw frythu o dan y ddwy weiren.

Pan fydde'r ŵyn bach yn downsho fel cnafon
Fe dowlwn i bompren dros wefuse'r afon,
Dou bishyn o bren; os odd hi'n anniben
Rodd hi'n gneud y tro os nad odd hi'n gymen;
Fe safies i lawer ôn bach rhag yr Ange
Rhag cwmpo i'r afon yn nhrad 'i sane.

Ar frest Cwm Cedni ma'r mwswm fel hireth
Yn clymu am wast hen fagwr ddidoreth;
Pan own i'n grwt rodd mam-gu pob sgwarnog
Yn cwato fanno pan fydde hi'n dorrog;
Wedes i ddim ariôd wrth un ened
Rhag ofan y bydde hi'n dianc i gered.

Pan fydde'r haf yn cal amser i gloncan
Rodd y crychydd cam yn y cwm yn loitran;
Fe ddele i waco ta diwedd Mihefin
Am ddwrnod ne ddou fel byse fe'n frenin,
A'r Curyll Mowr yn ofan 'i galon
Wrth weld y peth dierth ar bwys yr afon.